Canción y pico

Dirección editorial:
Mariana Vera

Coordinación:
Natalia Méndez

Jefa de producción:
Stella Maris Gesteiro

Corrección:
Silvia Villalba

Diseño:
Ariana Jenik

Edición original:
Canela (Gigliola Zecchin)

Devetach, Laura
   Canción y pico / Laura Devetach ; ilustrado por Saúl Oscar Rojas - 1ª ed. -
Buenos Aires : Sudamericana, 2007.
   32 p. : ilustr. ; 25x19 cm (Sudamericana infantil Especiales)

   ISBN 978-950-07-2821-8

   1. Narrativa Infantil Argentina. I. Saúl Oscar Rojas, ilustr. II. Título
   CDD A863.928 2

Primera edición: julio de 1998.
Cuarta edición y primera en esta colección: julio de 2007.

Impreso en la Argentina.
Queda hecho el depósito que previene la ley 11.723.
© 1998, Editorial Sudameriana S.A.®
En esta edición © 2007, Editorial Sudamericana S.A.®
Humberto 1° 531, Buenos Aires, Argentina.

www.sudamericanalibros.com.ar

Laura Devetach

Canción y pico

Ilustraciones: Saúl Oscar Rojas

EDITORIAL SUDAMERICANA

Bajo los aromos
con los Robledo
que tienen Alta la Gracia.
Con Lucy, Lilia, las Garay.
Con Gustavo, el mago.
Con los hijos de todos y su buena
compañía.
Con las Paquitas de la risa y el amor.

I. LOS QUIENSabeS

LunA llEna

A Pequeña Garay y sus hermanas

Luna, lunita
llename la bolsita...

cantan las niñas.
Los perros también cantan
contagiosos
a voces los secretos
de uno a otro.
A veces también cantan
todos a coro.

Luna, lunita
llename la bolsita...

Gasta de noche la luna
muchas monedas.
¿Cuántas bolsas las esperan?
Va quedando en el cielo
sólo una hendija.
Cantan las niñas
con las bocas hacia arriba.

CANCIÓN DEL QUIEnSabe

Pintaba las piedras
a orillas del río
con todos los dedos
y trazos
y vuelos.

Quién sabe...

Pintaba quiensabes
a orillas del mundo
con un pincelito
de nadie.
¿Pintaba palabras?
Quién sabe...

Pintaba en la arena
dibujaba el aire,
quién sabe...

Pintaba una historia
de todos
de nadie.

Pintaba quiensabes
a orillas del río
¿Quién sabe la historia?
Quién sabe…

NO ME dUermo

Es el miedo
tengo clavos en la cama
estoy deseando una frUta
que me ruede la garganta.
Despacito
digo Uva
y por la u me gotea
el jUgo de la mañana.

ToC

PájarO flacO, la flecha
salió del arcO
y allá quedÓ.
Palabras cOn puntería
no necesitan
explicación.

FÓRMULAS PARA DESEAR EL BIEN

Que la tierra ronronee bajo tus pies
cuando te saques los zapatos.
Que el aire
entre suave
te vuelva hilo
papel de seda
y aletee
cada uno de tus dedos.
Que la fruta madura
guarde el sabor el tiempo justo
para que no la olvides nunca.

ENganchAdo de la PeleA

−¿Cómo te va?
−Con la cola para atrás
como todos los demás.
−¿Querés maní? Comeme a mí
−Guiño un ojo y como uno.
Guiño un ojo y como otro.
Guiño el codo y como todo.
−El que come y no convida
tiene un sapo en la barriga.
−Yo comí y convidé
así que el sapo lo tiene usted.
−¿Adónde vas?
−Lejos lejos
donde hizo caca el conejo.
−Qué me importa, cara de torta
pico largo y lengua corta.
−El que se fue a Sevilla
perdió su silla.
−El que se fue y volvió
de la silla lo sacó
por el lugar que robó
por todo lo que comió
y porque no convidó.

−Qué me importa, cara de torta
cuchillito que no corta.
−Al que da y quita
le sale una jorobita.
−Mirá para arriba, mirá para abajo
¡la vieja pelando ajo!
−El burrito del teniente
lleva carga y no la siente.
−Al botón de la botonera
pim pom ¡fuera!

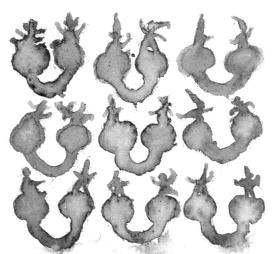

cOrazón de aRroz

Ay corazón de arroz
cuando llega la hora
me da la tos.

Tropiezo con las semillas de la naranja
me pierdo en un lunar.
Lengua de papel
me ahogo en un vaso
brazos de trapo
frente a este mar
al que cruzo
entre peces con bocinas
para llegar
a la vereda tendida
a la orilla de la esquina
por la que vas a pasar.

las PalAbras

A veces las palabras se empacan.
No salen por la boca.
Gritan alborotadas
se esconden
en distintos lugares del cuerpo.

¡Zumbrrrrr!

¡Crujjjjjj!

¡Gluich!

Fiuchsssss

Cómo cuesta pescar
a estas cabras locas
rebaños de canguros
picaflores que rugen.
Lleva tiempo
tiempo de callar
hasta que regresan.

Las cabras
los canguros
los pájaros
se posan en los dedos

ronronean
se dejan ir cayendo
así
aquí
en esta página.

11

AviOnes de PApEl

Aviones de papel
llevan a cuestas
mensajes a granel
o sólo el nombre aquel
del que no contesta.

QUÉ NOS pasa

Qué te pasa
que mi casa
se ha alejado
de tu casa.
Qué me pasa
que de verte
no me quedan
ni las ganas.

gOtAs

Un párpado cierra el cielo.
Pronto
lloverá
sobre
la arena
　　　el agua
　　　clavará
　　　los dedos.
¡Ay la lluvia
de manos tan pequeñas
que sobre mi cabeza
se abre
se cierra!

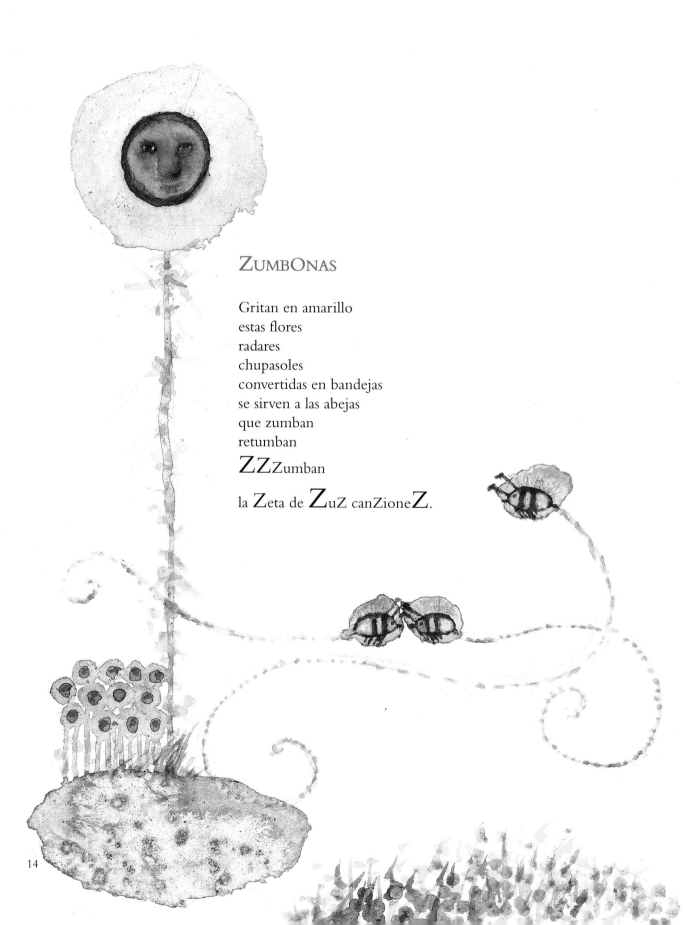

ZUMBONAS

Gritan en amarillo
estas flores
radares
chupasoles
convertidas en bandejas
se sirven a las abejas
que zumban
retumban
ZZZumban

la Zeta de ZuZ canZioneZ.

14

CROQUIS DE LA IGUANA

La iguana traza renglones
uno
que va hacia el agua
otro
que regresa a casa.
La iguana traza renglones
sin palabras.

BICHO DE LUZ

El bicho de luz
engaña
se convierte en ascua
camina en las sombras
como si fumara.

NUNCA SOPLES

Nunca soples
un bicho de luz.
Puede convertirse
en un incendio.

LUCIÉRNAGA

La luciérnaga
abre y cierra
agujeros
en la noche.

BICHOS BOLITA

Los bichos bolita
hacen burbujas
en la tierra.

POLILLAS

Las polillas
llenan el mundo de huecos
diciendo tejer puntillas.

LANGOSTA

Saltos verdes
boca de dragón
peluquera del sembrado
si se juntan un millón
pueden tejer nubarrones
que borran al mismo sol.

DICEN QUE

Dicen que los ríos nacen
de una cáscara de nuez
guardada en una bolsita
vaya a saberse por quién.
Dicen que van a los mares
para conocer la sal
mezclarse con otros ríos
hacerse nube y volar,
para llover tanta lluvia
que vaya a saberse quién
pueda guardarla en la bolsa
de la cáscara de nuez.

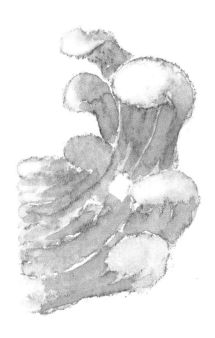

DIÁLOGO

Si usted se pierde en el campo
y ya no sabe qué hacer
pregunte a la flor de cardo:
—Flor de cardo,
panadero,
¿qué hora es?
Y ella le va a responder:
—La misma hora
de ayer a esta hora
y falta un ratito
para después.

MISTERIO

¿Cuál será el misterio
de las piedras
de colores?
Sólo el río las enciende
como soles.

AVISPA

La avispa rayada
perro de la arena
escarba
talla
un hueco pequeño
que no dura nada.

PÁJAROS EN LA ARENA

Los pájaros del alba
se comen los secretos
y dejan sus mensajes
en la arena.
Pájaros en la arena
se comen los secretos
de la mañana
y dejan laberintos
escritos con las patas.

ADIVINAPERROS

Cola corta
ojos tristes
rascapulgas
y orejón
un aullido a cada luna
vueltero para sentarse
y de pronto un tarascón.

Canción y pico

Érase que se era
un pico
érase una cabeza despeinada
un puñado de plumas
que cantaba.
Y érase también
un corazón de alpiste
que tendía
esta canción lejana
desde el pico
hasta aquí
canción con son
enamorada.

19

LOS DIFÍCILES DÍAS
DE LA lOMBRIZ

La lOmbriz
nunca sabe dónde empieza ni dónde termina
por eso
los lunes
y martes
camina
para
allá.
Los miércoles descansa en línea recta.
Los jueves
y viernes

camina
para
acá.

Los sábados
y domingos
es un
anillO   que se
cierra   como
una O
y se queda muy tranquila
porque en esos días
nO empieza   ni termina
nO termina   ni empieza
en ninguna parte.

1

Dicen que el mundo es redondo
porque lo van dibujando
los que un día se enamoran
y de a dos siguen andando.

2

–Por el amor uno vive
y por él, de amor se muere.
–Sacate el zapato chico
a ver si es lo que te duele.

3

En el medio de la mar
la vaca se siente sola
porque los peces se van
y ya no le hablan las olas.

4

El chancho se acomodaba
para ocupar más lugar
y el pelo se le encrespaba
al venirse la humedad.

5

Los amores son campitos
con alambrado muy fino
para que todo el que quiera
vaya cortando los hilos.

21

6

El zorro tiene bigotes
de color de miel de caña
tapadita la sonrisa
se tapan también las mañas.

7

En el medio de la mar
suspiraba una retama
y en el suspiro decía
el que no llora no mama.

En el medio de la mar
suspiraba un yacaré
y en el suspiro decía
yo lloré y no mamé.

8

El chancho usa un chaleco
que lo cuida de las balas
¿será por salvar la vida
o para esconder las alas?

9

Cuando un amigo se va
se desplanta un arbolito.
Con cada arbolito menos
queda el bosque
más chiquito.

10

Todos los chicos del Chaco
son los chaqueños.
Los caracoles pequeños,
caracoleños.

22

11
En la esquina de mi casa
hay dos pilas de tomates
porque si te veo llegando
ahí nomás te digo andate.

12
Yo no sé lo que me pasa
que se me pierde la voz
los elásticos se aflojan
y se me duerme el reloj.

13
Me está doliendo la panza
y no sé por qué será
si es el amor, la distancia
o las ganas de llorar.

14
En medio del mar azul
navegaba una canasta
farol con bicho de luz
y por timbre una calandria.

15
Soy la coplera mareada
que ya no puede pensar
si la cola va adelante
si las patas van atrás.

23

16

La palabra es como llave
puede abrir puede cerrar
habrá que darle una vuelta
que me sirva para entrar.

17

Si te toco estás tocado
si mi toque te tocó
no me escondas el hocico
que quiero saber quién sos.

18

Cada cual se mira el morro
en el espejo que tiene
si me miro en tus ojitos
hasta la panza me duele.

19

Que te abre que te cierra
mi negra es como un portón
habrá que tener paciencia
y de coraje un montón.

DIEZ mil PAPELITOS

Hay diez mil poemas
dentro de un canasto
el canasto estaba
en medio del campo
detrás de una vaca
debajo de un pasto
que lleva una hormiga
que va resoplando.

LOS VIEJITOS

Érase una vieja
chiquitina
érase un viejito
chiquití
que vivían
en una canasta
porque sí.

Porque sí la silla
porque sí la mesa
porque sí la gorra
sobre la cabeza.
La viejita canta
el viejito es mago
toman mate amargo
de yerba con palo.

HABÍA UNA HORMIGA

Había una hormiga
que cruzaba el patio
llevando una hoja
dentro de un canasto.
Y no supe más
porque está escondida
allá, por atrás.

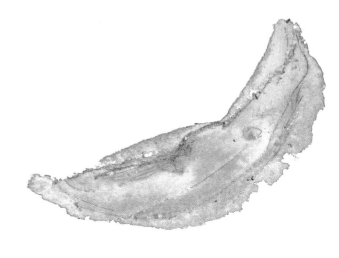

PORQUE SÍ LOS PANES

Érase una vieja
érase un viejito
que cantaban juntos
y también solitos.
Porque sí los panes
porque no el quesito
porque en el bolsillo
no queda un pesito.
Porque sí a la lata
porque no al latero
no hay en la canasta
nada de dinero.

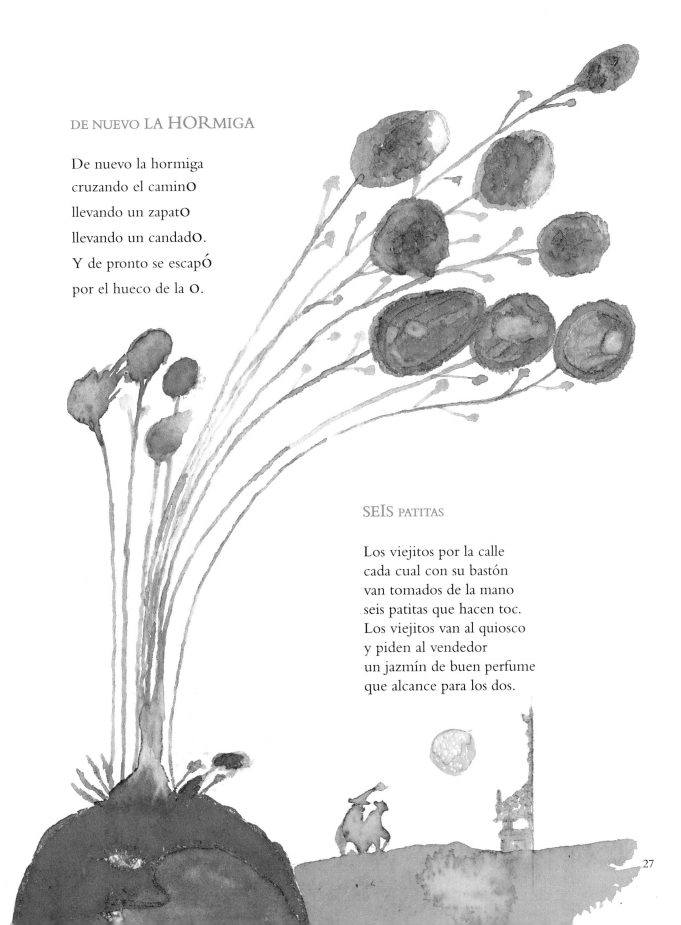

DE NUEVO LA HORMIGA

De nuevo la hormiga
cruzando el caminO
llevando un zapatO
llevando un candadO.
Y de pronto se escapÓ
por el hueco de la O.

SEIS PATITAS

Los viejitos por la calle
cada cual con su bastón
van tomados de la mano
seis patitas que hacen toc.
Los viejitos van al quiosco
y piden al vendedor
un jazmín de buen perfume
que alcance para los dos.

27

CANCIÓN DEL VIEJITO

Doblé un papelito
me puse a cantar
palabras mezcladas
lo hicieron volar.

¿Adónde vas, papelito?
Te llevaste las palabras
¿por qué aires?

EL SOPLO

El viejo siente un soplo
que lo despeina
¿de la veleta?
¿de las hamacas?
¿de los faroles
de la otra cuadra?
Es ella
es ella que silba
en la mañana.

CANCIÓN DE LA VIEJITA

Este soplo que silbo
porque sí
hace volar papeles
para mí.
¿Por dónde vas, papelito?
¿Me trajiste las palabras?
¿Por qué aires?

LA NARANJA

El viejito corre
tras una naranja
que rueda la calle.
La corre
se escapa.
La corre
la alcanza.
La corre
la caza.
La pela
la come.
Guarda tres gajitos
y la perfumada
cinta de la cáscara.

AQUÍ VA LA HORMIGA

Aquí va la hormiga
cruzando de noche la mesa
llevando una vaca
llevando encendida una vela
y el problema vino
porque yo hice ¡fuzz!
y todo el poema
se quedó sin luz.

29

A cazar NARanjas

La viejita come
gajos de naranja
riendo se pone
un rulo de cáscara.
Levanta los brazos
va de rama en rama
por los naranjales
ardiendo la boca
las piernas raspadas.
—¡Vamos a cazarlas!
La viejita corre
a esperar naranjas
que rueden la calle.

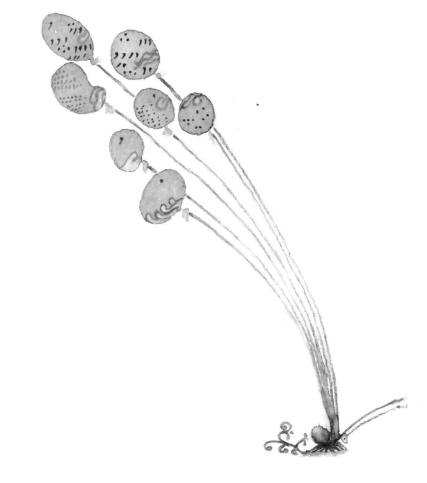

Y SE VA LA HORMIGA

Y se va la hormiga
llevándose un mar
llevando una coma
llevándose un punto final.
Hormiga que sale
del bosque de un libro
siempre vuelve a entrar.

ÍNDICE

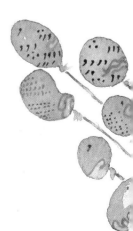

Esta edición de 3.000 ejemplares
se terminó de imprimir en Indugraf S.A.,
Sánchez de Loria 2251, Buenos Aires,
en el mes de julio de 2007.
www.indugraf.com.ar